携手抗疫 共克时艰

——在二十国集团领导人特别峰会上的发言

（2020年3月26日）

习 近 平

人 民 出 版 社

携手抗疫　共克时艰

——在二十国集团领导人特别峰会上的发言

（2020年3月26日）

中华人民共和国主席　习近平

尊敬的萨勒曼国王，

各位同事：

大家好！首先，我谨对萨勒曼国王和沙特方面为这次会议所做的大量沟通协调工作，表示衷心的感谢！

面对突如其来的新冠肺炎疫情，中国政府、中国人民不畏艰险，始终把人民生命安全和身体健康摆在第一位，按照坚定信心、同舟共济、科学防治、精准施策的总要求,坚持全民动员、联防联控、公开透明,打响了一场抗击疫情的人民战争。经过艰苦努力,付出巨大牺牲,目前中国国内疫情防控形势持续向好,生产生活秩序加快恢复,但我们仍然丝毫不能放松警惕。

在中方最困难的时候,国际社会许多成员给予中方真诚帮助和支持,我们会始终铭记并珍视这份友谊。

重大传染性疾病是全人类的敌人。新冠肺炎疫情正在全球蔓延,给人民生命安全和身体健康带来巨大威胁,给全球公共卫生安全带来巨大挑战,形势令人担忧。**当前,国际社会最需要的是坚定信心、齐心协力、团结应对**,全面加强国际合作,凝聚起战胜疫情强大合力,携手赢得这场人类同重大传染性疾病的斗争。

在此,我愿提出以下4点倡议。

第一,坚决打好新冠肺炎疫情防控全球阻击战。国际社会应该加紧行动起来,坚决遏制疫情蔓延势头。我愿在此提议，尽早召开二十国集团卫生部长会议，加强信息分享，开展药物、疫苗研发、防疫合作，有效防止疫情跨境传播。要携手帮助公共卫生体系薄弱的发展中国家提高应对能力。我建议发起二十国集团抗疫援助倡议，在世界卫生组织支持下加强信息沟通、政策协调、行动配合。中方秉持人类命运共同体理念，愿同各国分享防控有益做法，开展药物和疫苗联合研发，并向出现疫情扩散的国家提供力所能及的援助。

第二，有效开展国际联防联控。病毒无国界。疫情是我们的共同敌人。各国必须携手拉起最严密的联防联控网络。中方已经建立新冠肺炎疫情防控网上知识中心，向所有国家开放。要集各国之力，共同合作加快药物、疫苗、检测等方面科研攻关，力争早日取得惠及全人类的突破性成果。要探讨建立区域公共卫生应急联络机制，提高突发公共卫生事件应急响应速度。

第三，积极支持国际组织发挥作用。中方支持世界卫生组织发挥领导作用，制定科学合理防控措施，尽力阻止疫情跨境传播。我建议，二十国集团依托世界卫生组织加强疫情防控信息共享，推广全面系统有效的防控指南。要发挥二十国集团的沟通协调作用，加强政策对话和交流，适时举办全球公共卫生安全高级别会议。中国将同各国一道，加大对相关国际和地区组织的支持力度。

第四，加强国际宏观经济政策协调。疫情对全球生产和需求造成全面冲击，各国应该联手加大宏观政策对冲力度，防止世界经济陷入衰退。要实施有力有效的财政和货币政策，促进各国货币汇率基本稳定。要加强金融监管协调，维护全球金融市场稳定。要共同维护全球产业链供应链稳定，中国将加大力度向国际市场供应原料药、生活必需品、防疫物资等产品。要保护妇女儿童，保护老年人、残疾人等弱势群体，保障人民基本生活。中国将继续实施积极的财政政策和稳健的货币政策，坚定不移扩大改革开放，放宽市场准入，持续优化营商环境，积极扩大进口，扩大对外投资，为世界经济稳定作出贡献。

我呼吁二十国集团成员采取共同举措，减免关税、取消壁垒、畅通贸易，发出有力信号，提振世界经济复苏士气。我们应该制定二十国集团行动计划，并就抗疫宏观政策协调及时作出必要的机制性沟通和安排。

各位同事！

值此关键时刻，我们应该直面挑战、迅速行动。我坚信，只要我们同舟共济、守望相助，就一定能够彻底战胜疫情，迎来人类发展更加美好的明天！

谢谢大家。

图书在版编目(CIP)数据

携手抗疫　共克时艰:在二十国集团领导人特别峰会上的发言/
　习近平 著. —北京:人民出版社,2020.4
ISBN 978-7-01-022018-5

Ⅰ.①携…　Ⅱ.①习…　Ⅲ.①习近平-讲话②日冕形病毒-
　病毒病-肺炎-疫情管理-中国　Ⅳ.①D2-0②R563.1

中国版本图书馆 CIP 数据核字(2020)第 057598 号

(RMC-ZJDXI-087-20200326)

携手抗疫　共克时艰

XIESHOU KANGYI GONGKE SHIJIAN

——在二十国集团领导人特别峰会上的发言

(2020 年 3 月 26 日)

习　近　平

人民出版社 出版发行
(100706　北京市东城区隆福寺街 99 号)

北京新华印刷有限公司印刷　新华书店经销

2020 年 4 月第 1 版　2020 年 4 月北京第 1 次印刷
开本:880 毫米×1230 毫米 1/32　印张:0.25
字数:3 千字

ISBN 978-7-01-022018-5　定价:1.50 元

邮购地址 100706　北京市东城区隆福寺街 99 号
人民东方图书销售中心　电话 (010)65250042　65289539